パズル・ポシェット

ナンプレ超難問
絶体絶命

スカイネットコーポレーション

日本文芸社

ナンプレ超難問 絶体絶命

目 次

ナンバープレイスのルールと解き方 ·················· 3

問題
レベル3（Q1〜Q8）················· 12
　ジグザグナンバープレイス（Q9）············ 20
　Xナンバープレイス（Q10）··············· 21
レベル4（Q11〜Q30）················ 22
　ジグザグナンバープレイス（Q31）··········· 42
　Xナンバープレイス（Q32）··············· 43
レベル5（Q33〜Q56）················ 44
　ジグザグナンバープレイス（Q57）··········· 68
　Xナンバープレイス（Q58）··············· 69
レベル6（Q59〜Q82）················ 70
レベル7（Q83〜Q105）··············· 94

解答 ······································117

―――**【難易度について】**―――

本書は、レベル3（中級）以上で構成された難問ナンバープレイスです。問題番号の下のマークの数が難易度を表し、数が多くなるほど難度が高くなります。

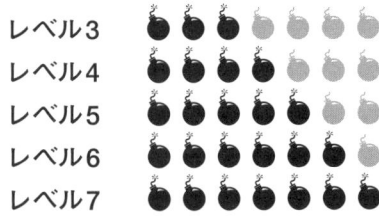

ナンバープレイスの ルールと解き方

ナンバープレイスのルール

①タテ9列、ヨコ9列のそれぞれに1から9の数字がひとつずつ入ります。
②3×3の太い線で囲まれたワクの中にも、1から9の数字がひとつずつ入ります。
③上記①②いずれの場合も、同じ数字は2回使いません。

ナンバープレイスの基本的解き方

例題

	5	1	6	2		4	3	
9			3		8			5
2								1
	9			4			5	
			8		6	2		4
	2			9			7	
7								9
1			2		3			8
	3	5				7	4	

では、実際に例題を解いてみましょう。問題をじっと見て、入る数字の確定できそうなところを探します。

数字の9に注目してみると、中段の左ふたつの3×3のマスには、それぞれ9が入っています。自動的に中段右端の3×3のマスでは、9の入るマスが限定されますね（※1）。

タテ、ヨコ9列には、1から9の数字がひとつずつ入るというルール①を思い出してください。

一番上の列の方に注目していくと、図1のように8を書き込むことができます（※2）。

同じようにして、書き込める数字が何か所かでてきますね（図1の丸囲みの数字）。

必ず次々と限定できるマスがでてきますから、タテの列、ヨコの列、またルール②の3×3のワク内と3つのポイントに視線を配りながら探していきましょう。

迷ったときには、ひとつの数字に注目してみることも大事なポイントです。

完成すると図2のようになります。

※2（→ ⑧）

⑧	5	1	6	2		4	3	
9			3		8			5
2		3						1
	9			4			5	
	①		8	③	6	2	⑨	4
	2			9			7	
7						3		9
1			2	⑦	3			8
	3	5				7	4	

※1（→ ⑨）

図1

図2

8	5	1	6	2	9	4	3	7
9	7	4	3	1	8	6	2	5
2	6	3	4	5	7	9	8	1
3	9	8	7	4	2	1	5	6
5	1	7	8	3	6	2	9	4
4	2	6	1	9	5	8	7	3
7	8	2	5	6	4	3	1	9
1	4	9	2	7	3	5	6	8
6	3	5	9	8	1	7	4	2

ワンランク上の解き方

基本的解き方では行きづまり、時間がかかった場合のための応用的解き方を説明しましょう。

《例題》

			8					
			5	3	6			
8		4		1		6		5
	9						8	
3								9
	1			2			7	
		3	1		4	8		
4		1	8		2	3		6
	8					4		

まず、基本的解き方で図1まで解いていきます。

図1

			4	8				
			5	3	6	4		8
8		4	2	1		6		5
	9		6	4	1	2	8	3
3	4	2	7	5	8	1	6	9
6	1	8	9	2	3	5	7	4
		3	1		4	8		
4		1	8		2	3		6
A	8		3		5		4	1

ここで、Aのあるヨコの行に注目してください。空きマスには2・6・7・9のいずれかが入るはずですが……。

図2

			4	8				
			5	3	6	4		8
8		4	2	1		6		5
	9		6	4	1	②	8	3
3	4	②	7	5	8	1	6	9
6	1	8	9	②	3	5	7	4
		3	1		4	8		
4		1	8		2	3		6
A**2**	8		*3*		*5*		4	*1*

図2のようにA以外のマスには2が入らないのでAが2に決まります。

図3

			4	8		B		
			5	3	6	4		8
8		4	2	1		6		5
	9		6	4	1	2	8	3
3	4	2	7	5	8	1	6	9
6	1	8	9	2	3	5	7	4
		3	1		4	8		
4		1	8		2	3		6
2	8		*3*		*5*		4	*1*

次に、Bのある3×3のブロックに注目。空きマスに入るのは1・2・3・7・9ですが……。

図4

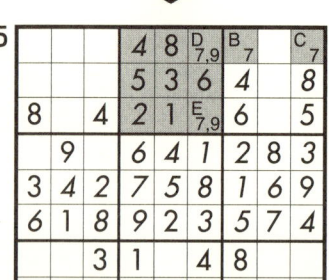

			4	8		B 7	↑	C 7
			5	3	6	4		8
8		4	2	1		6		5
	9		6	4	1	2	8	3
3	4	2	7	5	8	1	6	9
6	1	8	9	2	3	5	⑦	4
		3	1		4	8		
4		1	8		2	3		6
2	8	6	3		5		4	1

図4のようにBかCに7が入ることがわかります。

↓

図5

			4	8	D 7,9	B 7		C 7
			5	3	6	4		8
8		4	2	1	E 7,9	6		5
	9		6	4	1	2	8	3
3	4	2	7	5	8	1	6	9
6	1	8	9	2	3	5	7	4
		3	1		4	8		
4		1	8		2	3		6
2	8	6	3		5		4	1

ここで左隣りの3×3のブロックに着目。D・Eには7か9が入りますが、BかCに7が入るのでDは9、Eは7に決まります。

↓

図6

			4	8	**9**	7		7
			5	3	6	4		8
8	F	4	2	1	**7**	6	G	5
	9		6	4	1	2	8	3
3	4	2	7	5	8	1	6	9
6	1	8	9	2	3	5	7	4
		3	1		4	8		
4		1	8		2	3		6
2	8	6	3		5		4	1

F・Gのあるヨコの行の空きマスは3か9のいずれかが入りますが、タテの行との関係で、それぞれ、3・9と決まります。

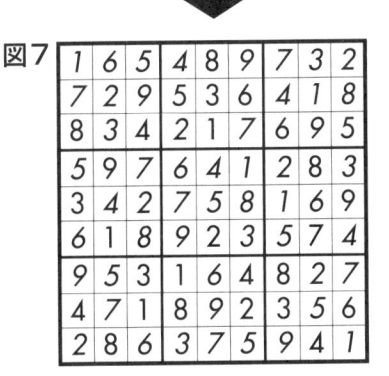

図7

1	6	5	4	8	9	7	3	2
7	2	9	5	3	6	4	1	8
8	3	4	2	1	7	6	9	5
5	9	7	6	4	1	2	8	3
3	4	2	7	5	8	1	6	9
6	1	8	9	2	3	5	7	4
9	5	3	1	6	4	8	2	7
4	7	1	8	9	2	3	5	6
2	8	6	3	7	5	9	4	1

以降、解きすすめて完成させてください。

Xナンバープレイスの解き方

1								3
	2						1	
		3				2		
			4		9			
				5				
			7		6			
		4				7		
	6						8	
8								9

ナンバープレイスのルールに加えて、図のように対角線上にも1から9の数字が並ぶナンバープレイスです。このこともヒントにしながら解きすすめていきます。

（本書のQ10、Q32、Q58）

ジグザグナンバープレイスの解き方

例題

6	1						3	7
	4	3	7		6	1	9	
		5	8		2	4		
	6	1	3		9	7	2	
2	9		1		8		5	6
4	2		5		7		1	3
7								1
3	7			1			6	5
9			6	3	1			2

解答

6	1	9	2	4	5	8	3	7
5	4	3	7	2	6	1	9	8
1	3	5	8	6	2	4	7	9
8	6	1	3	5	9	7	2	4
2	9	4	1	7	8	3	5	6
4	2	6	5	8	7	9	1	3
7	5	2	4	9	3	6	8	1
3	7	8	9	1	4	2	6	5
9	8	7	6	3	1	5	4	2

①タテ9列、ヨコ9列のそれぞれに1から9の数字がひとつずつ入ります。
②変形の太い線で囲まれたワクの中にも、1から9の数字がひとつずつ入ります。
③上記①②いずれの場合も、同じ数字は2回使いません。

（本書のQ9、Q31、Q57）

問題

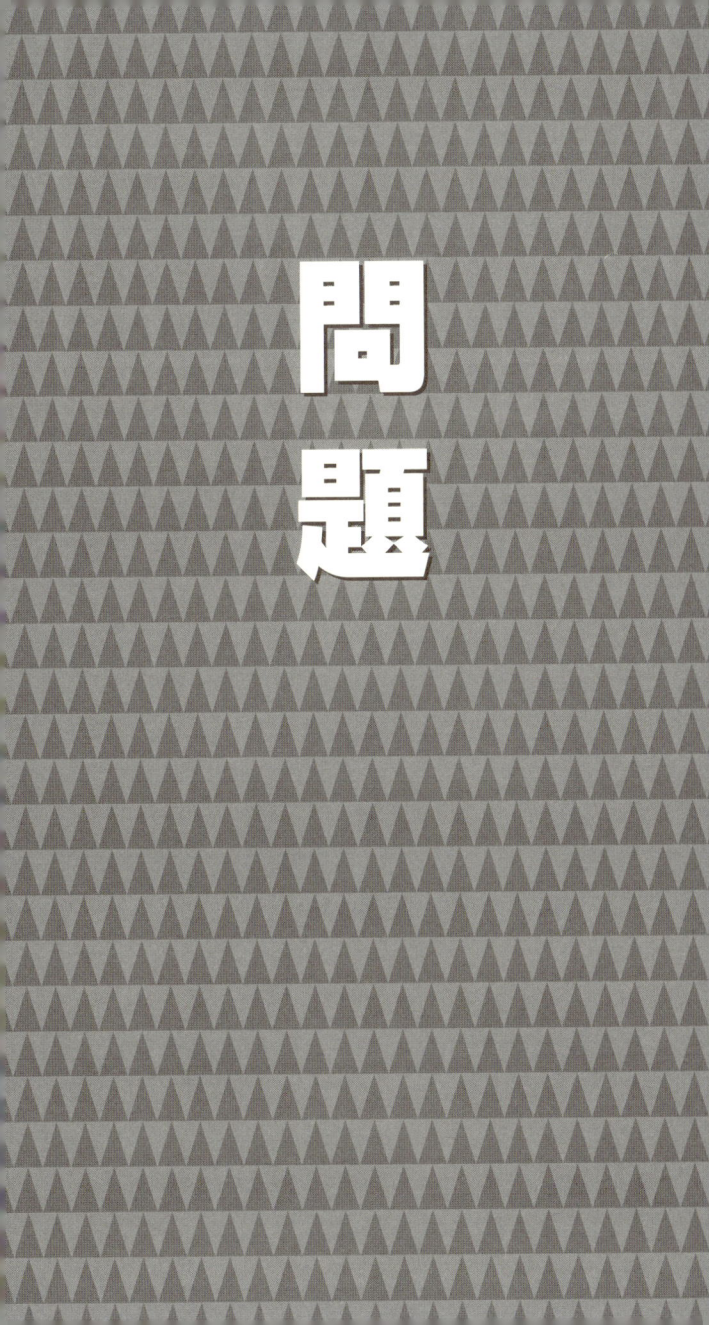

1

		4			9	2		
	8		5		7			9
				2		6	5	
	1				4			
	9	5	3		2	4	7	
			9				2	
	2	9		7				
5			2		3		6	
		3	4			9		

解答●117ページ

CHECK!

1	2	3	4	5	6	7	8	9

LEVEL 3

2

	3		6		2		8	
2		8				7		1
	4		3	8	1		5	
		4		1		9		
	5		8		4		2	
8		2				5		4
	8			2			7	
				6				
		5				8		

解答●117ページ

CHECK!

1	2	3	4	5	6	7	8	9

3

	2						8	
3		8		5		4		2
		4	8		3	6		
	8	9				7	4	
	4			1			3	
	5	3				8	2	
			4		6			
4			2		7			9
	3						7	

解答●117ページ

CHECK!

1	2	3	4	5	6	7	8	9

4

3				7				
6					1	2		
	9	1	5			6	8	
		5			4		9	
	1	9				8	5	
	4		9			1		
	3	4			5	9	2	
		8	1					6
				9				1

解答●117ページ

CHECK!

1	2	3	4	5	6	7	8	9

5

		9				4		
7	2						1	5
		4	7		8	3		
		2				6		
	4	7		1		5	2	
1				7				4
	7						5	
	5	1	2		4	7	9	
			3		7			

解答●117ページ

CHECK!

1	2	3	4	5	6	7	8	9

6

		3	8			6	2	
	2			5				8
		8		4				1
	8				9	7	4	
	6						5	
	3	1	4				8	
3				2		8		
4				8			7	
	5	2			4	3		

解答●117ページ

CHECK!

1	2	3	4	5	6	7	8	9

7

					6	7		
2	4			7			1	
	3			5			2	6
	7				8	6		
4			9		2			7
		3	7				4	
3	5			2			7	
	2			4			8	3
		4	3					

解答●117ページ

CHECK!

1	2	3	4	5	6	7	8	9

LEVEL 3

8

	3	4				7	2	
			5		6			
	2			7			1	
				9				
4		3	7		2	8		5
		7	3		4	2		
8			2		5			9
2	7						5	4
	4						8	

解答●117ページ

CHECK!

1	2	3	4	5	6	7	8	9

9

ジグザグナンバープレイス

4	7						3	5
1	8		2		9		4	6
			4	5	7			
	2	7	8		3	6	5	
5		9				4		8
				9				
8			9	6	2			4
2	6		5		4		8	9
	9			8			6	

解答●117ページ

CHECK!

1	2	3	4	5	6	7	8	9

10

Xナンバープレイス

			7					1
	8			6		5		
2	9			8	1		4	
					6	2		4
1	5						6	9
6		7	8					
	7		9	1			2	8
		8		7			9	
9					8			

解答●118ページ

CHECK!

1	2	3	4	5	6	7	8	9

11

			7				2	
9	3	6			8			4
	1			9		3		
		5				4	9	
	9			4			5	
	4	3				2		
		9		2			3	
5			3			9	8	2
	7				5			

解答●118ページ

CHECK!

1	2	3	4	5	6	7	8	9

LEVEL 4

12

	3						1	
1	7		6		4		8	5
	5			1			2	
	1						9	
		7				4		
		4	7		5	1		
	4		1		9		7	
7		5				3		1
	8						5	

解答●118ページ

CHECK!

1	2	3	4	5	6	7	8	9

13

				7				
4	6		9		2		1	5
9	5			6			3	8
	9		3		5		8	
	2	4				3	9	
			4		9			
3				9				7
			2		3			
	4						2	

解答●118ページ

CHECK!

1	2	3	4	5	6	7	8	9

14

			2		5			
		5	6		7	2		
			3		1			
4			7		2			8
7			4		9			2
9	3			5			7	4
	2			7			9	
	7						2	
	4	3				5	6	

解答●118ページ

CHECK!

1	2	3	4	5	6	7	8	9

15

9				8				7
1			7	6	2			4
	4	7				3	6	
		1				5		
		6		4		7		
	7	3		1		6	2	
			1		7			
7			4		6			2
	1						7	

解答●118ページ

CHECK!

1	2	3	4	5	6	7	8	9

16

LEVEL 4

	8		5					
	5	2		6	1	8	4	
		1		8			3	
				1			7	
1		4				9		8
	2			4				
	3			2		4		
	9	8	4	5		6	1	
					9		8	

解答●118ページ

CHECK!

1	2	3	4	5	6	7	8	9

17

7			2		3			6
		4				5		
	6						7	
			3		1			
		9	7		6	8		
		7	4		2	6		
	4	3				7	9	
	7			2			1	
	2		5	3	7		6	

解答●118ページ

CHECK!

1	2	3	4	5	6	7	8	9

LEVEL 4

18

					2		8	
					6		2	7
7			1	8	9		5	
8			2				4	
2		5				6		8
	1				8			2
	6		8	2	5			9
4	2		6					
	3		4					

解答●118ページ

CHECK!

1	2	3	4	5	6	7	8	9

	3	7					9	5
			4		7			
			5		8			
		9	3		2	1		
	2	5	9		6	3	4	
3		4		7		2		8
9		3		5		6		2
		6	2		9	5		
			7		3			

解答●119ページ

1	2	3	4	5	6	7	8	9

CHECK!

LEVEL 4

20

	7		5	9	3		6	
9				8				3
	6						1	
	9			4			2	
4			3		9			6
3		6		2		9		4
		8				7		
	3	5				2	9	
	4						3	

解答●119ページ

CHECK!

1	2	3	4	5	6	7	8	9

	9	1				6		4
				5	7		9	3
3		4			1		7	
		5						
		3	8		9	2		
						4		
	4		3			9		7
1	3		9	6				
5		9				3	6	

解答●119ページ

CHECK!

1	2	3	4	5	6	7	8	9

22

			4		5			
		6		8		7		
5	8			1			9	3
			8	3	1			
8	3			5			2	1
	1	5				8	3	
	2	8				6	5	
	4						8	
			7		8			

解答●119ページ

CHECK!

1	2	3	4	5	6	7	8	9

23

2				3	5			
				4		3	5	9
		9		6				2
			6			5	9	
	9	8				7	2	
	2	4			7			
1			2		8			
9	4	2		5				
			4	7				3

解答●119ページ

CHECK!

1	2	3	4	5	6	7	8	9

		5		8			6	
			4	3			8	2
	2	8			6	1		
		4			9	7		
2								6
		6	2			8		
		2	8			6	9	
8	3			2	5			
	7			4		2		

解答●119ページ

CHECK!

1	2	3	4	5	6	7	8	9

25

								3
		5		3	4	9	6	
		3		9			4	
		9	3	7			2	
5		8				6		9
	1			5	9	3		
	9			4		2		
	8	4	7	2		5		
3								

解答●119ページ

CHECK!

1	2	3	4	5	6	7	8	9

26

LEVEL 4

			1		7			
7	6						8	3
5								9
		7	3		2	9		
		4				5		
	5	3				2	7	
8	7		5		3		4	6
	3		7		4		2	
		5				3		

27

	3	4					7	5	
	7			2				6	
				8					
7			1	5	8			4	
		3				9			
		1				5			
	6	7	5		1	4	2		
				7					
3	4						7	1	

解答●119ページ

1	2	3	4	5	6	7	8	9

CHECK!

28

LEVEL 4

			5		4			
4	3						6	7
		9		4		2		
		7	1	3	8	4		
3	4	1				5	7	8
7								1
1			9		6			2
		4				9		

29

	9						2	
				8				
		7		1				
	7		5		2		6	
4		5				3		2
3	2			4			7	5
			8		7			
8		7				5		6
1		2				4		7

解答●120ページ

1	2	3	4	5	6	7	8	9

CHECK!

30

LEVEL 4

		5	6		4	7		
		7				1		
	2						9	
7			4	2	9			3
		3				8		
		4				2		
	6	2				4	7	
	7			4			3	
	5		7		2		8	

解答●120ページ

CHECK!

1	2	3	4	5	6	7	8	9

31

ジグザグナンバープレイス

5	1		3	6			8	
9	7		8				6	4
3								2
		6		2	4	1		
	4	5		1		8	2	
		3		9	8	7		
4								3
2	5		1				7	8
1	3		4	8			5	

解答●120ページ

CHECK!

1	2	3	4	5	6	7	8	9

32

Xナンバープレイス

			5		1			
	2	6	3		9	5	1	
		1		6		9		
		5		9		7		
	1			3			6	
6	3		8		7		9	5
	6	2	1		3	4	8	
		8				6		
				8				

解答●120ページ

CHECK!

1	2	3	4	5	6	7	8	9

33

			8				4	7
		5	7				6	
7				4	3			
	2	7			9			
	4	3		7		1	2	
				4		3	7	
			3	2				1
	1				7	5		
6	9			4				

解答●120ページ

CHECK!

1	2	3	4	5	6	7	8	9

34

LEVEL 5

6			2	7	5			
					9		7	
		7			4		8	
		4	7	3				1
5				2				7
7				4	6	2		
	2		4			1		
	7		8					
			1	5	2			4

解答●120ページ

CHECK!

1	2	3	4	5	6	7	8	9

35

2								6
	4				7	2	3	
7	8				2			
	7			4		3		2
		6		5		7		
3		2		8			4	
			9				1	7
	2	7	4				6	
9								5

解答●120ページ

CHECK!

1	2	3	4	5	6	7	8	9

36

LEVEL 5

			4	5				
8				2	1	6		
		1	7				3	5
		7	5					
1	5						9	8
					4	1		
7	8				2	9		
		4	1	7				3
			4	8				

解答●120ページ

CHECK!

1	2	3	4	5	6	7	8	9

37

	5		8	4				
	8		2		5	6		
	2			6				
				9		7	8	
8	1						4	9
	4	9		2				
			3				2	
		6	5		4		3	
				8	2		1	

解答●120ページ

1	2	3	4	5	6	7	8	9

CHECK!

38

LEVEL 5

		5	6		7	1		
7		9				2		3
1				3				7
	1		7		9		8	
	7						4	
		4				7		
		3	1		4	5		
4				5				8
	5						2	

解答●121ページ

CHECK!

1	2	3	4	5	6	7	8	9

39

			5		7			
		3				6		
	7		6	4	2		9	
				8				
		9	7		4	1		
		7	2		1	4		
7	2						8	4
	3						2	
		4	3		5	7		

解答●121ページ

CHECK!

1	2	3	4	5	6	7	8	9

40

LEVEL 5

			6		9			
	5		7		2		1	
			4		3			
	7						8	
2		4		9		7		3
	3			4			2	
8								5
	4		2		5		7	
	2		8		4		9	

解答●121ページ

CHECK!

1	2	3	4	5	6	7	8	9

41

6								2
			1		2			
7	2			5			8	6
			5		9			
		3	2		7	6		
	4	2				8	7	
				7				
2	5						4	8
	7	4				9	3	

解答●121ページ

CHECK!

1	2	3	4	5	6	7	8	9

42

LEVEL 5

		6				8		
	8	5			7	1		
	4			5				3
				4	2		9	
4	3						8	5
	2		5	8				
1				9			3	
		8	3			4	1	
		3				9		

解答●121ページ

CHECK!

1	2	3	4	5	6	7	8	9

43

3	1	6				7	2	4
			7		1			
	7			3			8	
		7	4		5	9		
		2				4		
	4	3				2	7	
				1				
8								2
5	6						4	7

解答●121ページ

CHECK!

1	2	3	4	5	6	7	8	9

44

		7				9		
8				9	6	2		
		2					5	
		5	9		4		3	2
9				2				5
2	6		3		1	4		
	1				9			
		8	6	4				9
		9			2			

解答●121ページ

CHECK!

1	2	3	4	5	6	7	8	9

45

	6		9				2	
		2			8	1	7	
	7				2			4
		8		2				5
	2			7			3	
7				4		2		
2			7				4	
	9	4	2			5		
	5				4		9	

解答●121ページ

CHECK!

1	2	3	4	5	6	7	8	9

46

LEVEL 5

3			9		5			4
	6			3			7	
		7				8		
	7		4		2		1	
2		5				7		3
	4		3		7		5	
		8				3		
	3		7		1		8	
		6				5		

解答●121ページ

CHECK!

1	2	3	4	5	6	7	8	9

47

		5				1		
	7	3	8		1	4	6	
	6	9				2	7	
		4				8		
			7	4	9			
	3						4	
	4						3	
	5	7				6	1	
	1		2		7		8	

解答●121ページ

CHECK!

1	2	3	4	5	6	7	8	9

48

LEVEL 5

	6					8	5	1
	1					2		4
	8		7	2	1			
1			8		9			
				5				
			1		4			3
			4	9	5		8	
4		8					2	
9	5	1					4	

解答●122ページ

CHECK!

1	2	3	4	5	6	7	8	9

49

		1	5		8	4		
		8				6		
4		9		3		8		1
	3		8	4	7		2	
8								9
	4			1			8	
				7				
		4	3		1	2		
5				6				4

解答●122ページ

CHECK!

1	2	3	4	5	6	7	8	9

50

LEVEL 5

			4	6	8			
1	8				7			
					1	8	4	7
	1	3					9	
	4			3			1	
	2					4	8	
4	3	5	6					
			8				7	5
			5	1	3			

解答●122ページ

CHECK!

1	2	3	4	5	6	7	8	9

51

7	5			3			1	4
			6		7			
	9		1		8		2	
	7						5	
	3						4	
	1			7			3	
		7	5		4	3		
	4	3		9		8	7	
		1				4		

解答●122ページ

CHECK!

1	2	3	4	5	6	7	8	9

52

LEVEL 5

6				8			2	4
			2	3				
			4			3	6	
		2	8		5		4	
	8			6			1	
	7		3		2	8		
	1	8			9			
				2	8			
5	2			4				6

解答●122ページ

CHECK!

1	2	3	4	5	6	7	8	9

53

			1					
7	4		3		6		1	
	1	9	7			5		
							2	9
4	6			8			7	1
5		1						
		7			4	1	6	
	5		1		8		2	7
			7					

解答●122ページ

1	2	3	4	5	6	7	8	9

CHECK!

54

LEVEL 5

8					1	7	2	4
	6							8
		2		8				5
		5					9	2
	2	3				8	5	
6	8					4		
3				4		2		
7							8	
2	1	8	5					6

解答●122ページ

CHECK!

1	2	3	4	5	6	7	8	9

55

		4	2		7	8		
			5		3			
			4		6			
3	4	7				5	1	9
	2						8	
			7	3	9			
	3			6			7	
		5	8		2	4		
1			3		4			8

解答●122ページ

CHECK!

1	2	3	4	5	6	7	8	9

56

LEVEL 5

	6				1		7	
				6			3	4
	3	8		7				1
		2	8					5
		7	6		2	9		
1					7	4		
7				4		3	5	
8	1			2				
	5		7				4	

解答●122ページ

CHECK!

1	2	3	4	5	6	7	8	9

57

ジグザグナンバープレイス

		8		4		6		
		4	5		7	3		
				7				
1			3		6			4
6	1			8			4	7
3	4	7				9	1	8
	6		7		8		3	
			4		1			
5	9			6			7	2

解答●122ページ

CHECK!

1	2	3	4	5	6	7	8	9

58

Xナンバープレイス

		2	5		4	1		
	3	6	1		2	5	8	
	1						9	
5								1
	7		8		5		2	
2			4		9			8
			9		1			
1		8	2		7	9		3

解答●123ページ

CHECK!

1	2	3	4	5	6	7	8	9

59

		4				7		
	9	5				2	4	
	7	1	2		5	6	8	
		9				3		
	2			8			1	
4	5			1			6	7
	1						9	
	4	2				1	7	
		7				5		

解答●123ページ

CHECK!

1	2	3	4	5	6	7	8	9

60

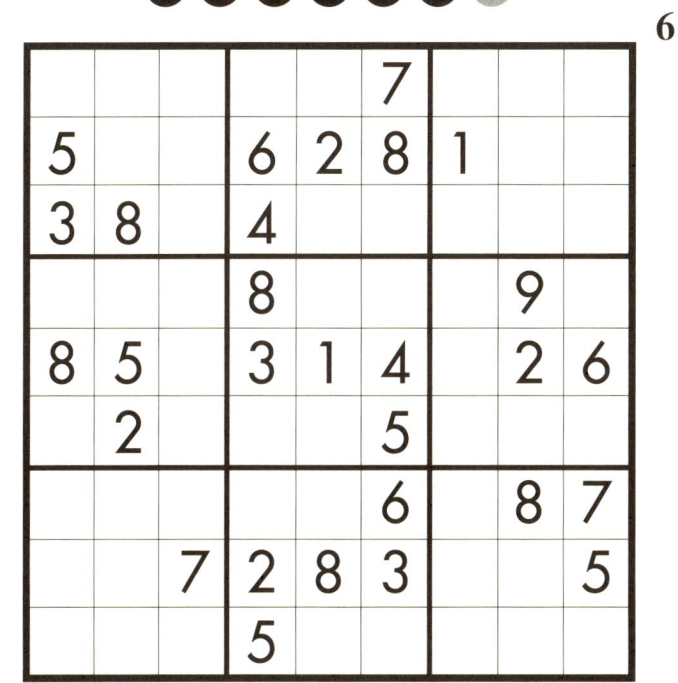

					7			
5			6	2	8	1		
3	8		4					
			8				9	
8	5		3	1	4		2	6
	2				5			
					6		8	7
		7	2	8	3			5
			5					

解答●123ページ

CHECK!

1	2	3	4	5	6	7	8	9

61

7		2				4		1
			3		4			
				9				
2			8		6			4
4		8				5		7
	7			4			1	
1	5			8			4	2
		9	2		1	8		
		7				1		

解答●123ページ

CHECK!

1	2	3	4	5	6	7	8	9

62

	4	7				2	6	
	2	3		5		1	7	
				6				
		8				6		
			9	2	7			
8	6		2		4		1	9
4	7						8	2
		2	7		1	4		

解答●123ページ

CHECK!

1	2	3	4	5	6	7	8	9

63

		6					1	
7	1	3	8	2				
4						9	7	
					7		5	6
	7			4			3	
5	3		1					
	4	7						9
				1	8	7	4	5
	5					3		

解答●123ページ

CHECK!

1	2	3	4	5	6	7	8	9

64

	6						3	
7				9				8
	8		7		2		1	
		6	5		4	3		
	7						4	
		3				2		
		4	2		5	7		
6		7		3		4		2
	2			7			9	

解答●123ページ

CHECK!

1	2	3	4	5	6	7	8	9

65

	1		5	4			3	2
		9			6	4		
3	4					7		
						8		
	2		3	6	9		4	
		4						
		3					7	8
		1	7			3		
4	5			8	3		9	

解答●123ページ

CHECK!

1	2	3	4	5	6	7	8	9

66

LEVEL 6

	5			4			8	
			6		2			
	4		8		3		7	
	8	4				7	2	
1				9				8
			1	8	4			
5	3						4	6
	1	8				2	3	
			4		8			

解答●123ページ

CHECK!

1	2	3	4	5	6	7	8	9

67

		6				9		
	8			7			2	
	3			4			8	
			3	2	5			
		4		8		1		
		8				2		
2	4	3				8	9	6
	5			6			1	
	6		8		9		4	

解答●124ページ

CHECK!

1	2	3	4	5	6	7	8	9

68

LEVEL 6

7						5		
	4			5	7	6		3
2	6			3				
			7		8			1
	7			9			3	
4			2		3			
				2			9	5
5		3	4	7			6	
		7						2

解答●124ページ

CHECK!

1	2	3	4	5	6	7	8	9

69

1	8	6						
			7					
			8	1	9		2	3
8			4			5		1
4								7
5		3			8			4
9	1		3	6	4			
				7				
						4	3	6

解答●124ページ

CHECK!

1	2	3	4	5	6	7	8	9

70

LEVEL 6

	6						1	
1		3				9		8
		9	8		7	2		
		4		9		5		
	3			4			9	
	1			3			4	
3			9		6			5
	9	5				1	6	
				8				

解答●124ページ

CHECK!

1	2	3	4	5	6	7	8	9

71

	3	7				2		
				8	1		6	
	2						9	4
				2			5	
	5	8	6		4	3	2	
	2			5				
7	8					9		
		6	8	7				
		4			2	7		

解答●124ページ

CHECK!

1	2	3	4	5	6	7	8	9

72

LEVEL 6

4	8			5			3	9
3	1						6	4
9			3		4			8
		7				2		
	4		7		2		9	
		9				4		
1				8				5
			4		3			
		4				3		

解答●124ページ

CHECK!

1	2	3	4	5	6	7	8	9

73

							6	
		4		8	5		2	3
3	7	2		4				
		8				7		2
			3		1			
2		9				6		
				3		8	4	5
7	4		8	5		2		
	8							

解答●124ページ

CHECK!

1	2	3	4	5	6	7	8	9

74

LEVEL 6

	4	3			8			
1					5	6	8	4
			1			7		
		8		1	2			
5				3				1
			8	4		9		
		4			1			
6	8	1	7					9
			4			1	6	

解答●124ページ

CHECK!

1	2	3	4	5	6	7	8	9

75

			5	7	4			
				6				
			3		1			
7			2		8			4
		2				9		
	3	4				2	7	
	5			3			6	
4	8						3	9
6		3	8		7	4		1

解答●124ページ

CHECK!

1	2	3	4	5	6	7	8	9

76

3		5						4
1	8					7		
	4				6	1	8	
8			1			2		
5				3				8
		4			9			1
	9	8	6				1	
		1					4	6
4						8		7

解答●124ページ

CHECK!

1	2	3	4	5	6	7	8	9

77

		4				1		
7	1						6	8
	9			5			7	
			8		2			
3			1		4			5
		1		7		6		
	7			1			5	
1	3		7		5		4	9
			3		6			

解答●125ページ

CHECK!

1	2	3	4	5	6	7	8	9

78

LEVEL 6

	5			6				9
9								
1				3	9	2	5	
	9	4			8			
	1	5		9		7	6	
			2			9	4	
	4	3	9	1				5
								3
6				4			2	

解答●125ページ

CHECK!

1	2	3	4	5	6	7	8	9

79

3		4				5		
		7	5			6	3	
		9	3	7			2	
			7				1	6
				8				
7	9				3			
	2			3	4	7		
	7	3			5	9		
		5				4		3

解答●125ページ

CHECK!

1	2	3	4	5	6	7	8	9

80

LEVEL 6

			3		2			
	5			6			7	
	2			7			1	
6	7	4				9	8	2
		2	7		9	6		
		8				3		
				4				
7	6						2	4
3	4						6	9

解答●125ページ

CHECK!

1	2	3	4	5	6	7	8	9

81

8			4					
		2		3		5	8	
			8				4	
		8	2		6		5	7
2				7				6
3	7		1		5	8		
	1			3				
2	9		8			6		
					2			5

解答●125ページ

CHECK!

1	2	3	4	5	6	7	8	9

82

LEVEL 6

	2						7	6
6		7		2			5	3
	9			3	7	1		
			7					
			8	5	4			
					6			
		4	9	7			3	
3	5			6		7		1
1	7						6	

解答●125ページ

CHECK!

1	2	3	4	5	6	7	8	9

83

3			1		8			6
	5						7	
9				3				5
			3	7	2			
4				8				2
	3	6				7	9	
	6						3	
	4		8		3		6	
	8	3				5	4	

解答●125ページ

CHECK!

1	2	3	4	5	6	7	8	9

84

LEVEL 7

		1					6	
	7	3		5	1			
2				4				7
		4			1	5	7	
		1		5		6		
	9	3	8			2		
3			7					6
		2	5		8	7		
	7				9			

解答●125ページ

CHECK!

1	2	3	4	5	6	7	8	9

85

		6				7		
			7	1	8			
	7			5			9	
5			6	3	4			7
		3		7		2		
		7				9		
	1	5		4		3	2	
			1		7			
		4	3		5	1		

解答●125ページ

CHECK!

1	2	3	4	5	6	7	8	9

86

LEVEL 7

			1				8	
8					7		9	2
	6		2	8				4
	2			5				
	8	3		4		5	2	
				7			3	
2				3	8		4	
7	3		4					9
	4				6			

解答●126ページ

CHECK!

1	2	3	4	5	6	7	8	9

87

			4		6			
	3		9		5		6	
				2				
9		5	2		3	7		4
		2				8		
	4	3		1		2	9	
2				9				8
	9		6		7		2	
		4				9		

解答●126ページ

CHECK!

1	2	3	4	5	6	7	8	9

88

LEVEL 7

		5				1		
2								6
	1		2		6		3	
			4		9			
	2	4	7		1	8	5	
		7		2		4		
	7			5			1	
		1		7		6		
8	9						4	7

解答●126ページ

CHECK!

1	2	3	4	5	6	7	8	9

89

4	5			8			2	3
			6		7			
8		2				9		7
		3				1		
	8			4			3	
	2		3		8		4	
		6	8		4	2		
9				6				5
	3						6	

解答●126ページ

CHECK!

1	2	3	4	5	6	7	8	9

90

LEVEL 7

3	6					8	7	
		7		1	3			
								2
	7			5			9	4
6	2			7			3	5
5	4			3			2	
4								
			9	4		2		
	3	8					4	7

解答●126ページ

CHECK!

1	2	3	4	5	6	7	8	9

91

			8	9			7	2
	7	5					9	4
		2						
		7		2	1	6		
		3		4		7		
		4	7	5		3		
						2		
2	3					4	5	
5	4			8	3			

解答●126ページ

CHECK!

1	2	3	4	5	6	7	8	9

92

LEVEL 7

	4			1			8	
	1		5		8		3	
9				6				1
		6				7		
1			8	4	2			6
8		9	1		6	2		5
	8						5	
		1				8		
		4				9		

解答●126ページ

CHECK!

1	2	3	4	5	6	7	8	9

93

				3				
7	5						2	1
9			1		7			8
			4		9			
1		4	7		6	8		2
		6				1		
		5				9		
6	7						1	4
4	1						8	3

解答●126ページ

CHECK!

1	2	3	4	5	6	7	8	9

94

LEVEL 7

		4					5	
	2	8					3	4
		2	7	3				
	2	8			6			
	4	7				5	8	
			1			4	2	
			9	3	8			
7	3				2	9		
	5				4			

解答●126ページ

CHECK!

1	2	3	4	5	6	7	8	9

95

9	6		7		4		3	2
		4				8		
1								9
			5		9			
		3	4		2	9		
	9	2				3	5	
		7		5		4		
4		9				2		3
3								8

解答●126ページ

CHECK!

1	2	3	4	5	6	7	8	9

96

LEVEL 7

7				5				8
		4	7		2	6		
	2	5				7	3	
		7				9		
2	3						8	4
	4			1			7	
	1	3		7		2	4	
		6				8		
		2				5		

解答●127ページ

CHECK!

1	2	3	4	5	6	7	8	9

97

	4		3		2		9	
	9						6	
1			9		8			7
			5		9			
2			4		3			6
9		3		2		1		5
	2		6		5		8	
	5						2	
4								9

解答●127ページ

CHECK!

1	2	3	4	5	6	7	8	9

98

LEVEL 7

2						1		
	3	7	1				8	
		1	6					3
					1	2		
	1	8		5		4	3	
		3	8					
1					4	3		
	9				3	5	2	
		2						6

解答●127ページ

CHECK!

1	2	3	4	5	6	7	8	9

99

	1			2				
		3	5	4		1		
7						3	2	
6							7	
	4			5			6	
	8							9
	2	1						7
		9		1	8	2		
				3			1	

解答●127ページ

CHECK!

1	2	3	4	5	6	7	8	9

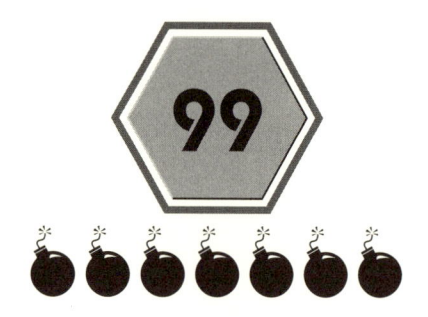

100

LEVEL 7

6						8	7	
7				1				5
9				7				3
		2	3		6		5	
			9	4	1			
	4		7		5	3		
5				6				2
4				3				8
	3	1						9

解答●127ページ

CHECK!

1	2	3	4	5	6	7	8	9

101

	4	5				2	9	
1			6		9			8
		9				3		
	5						7	
	2						4	
9	1		4		8		2	5
		1				7		
		2	9		6	1		
			1		4			

解答●127ページ

CHECK!

1	2	3	4	5	6	7	8	9

102

LEVEL 7

5	4						7	3
		3				1		
			6		3			
			3		2			
		7				8		
	5			9			3	
4	7			3			9	6
		5	4		6	3		
		2	8		9	7		

解答●127ページ

CHECK!

1	2	3	4	5	6	7	8	9

Excellent

103

			2					
2				6		1		4
3	8				1			
	3	7			2			
		1		5		2		
			1			4	8	
			5				9	3
9		2		1				6
					4			

解答●127ページ

CHECK!

1	2	3	4	5	6	7	8	9

Excellent

104

LEVEL 7

9		2				3		7
	3		5		1		2	
		1			9			
				3				
3								9
	2	4		1		5	3	
		3				6		
		8	2		7	1		
	7						9	

解答●127ページ

CHECK!

1	2	3	4	5	6	7	8	9

Excellent

105

			2		1			
	2		3		4		8	
6								3
		3				5		
	1		4		3		2	
			7		9			
		9				1		
	3						7	
	4			8			9	

解答●127ページ

CHECK!

1	2	3	4	5	6	7	8	9

解答

Level 3

1

1	5	4	6	3	9	2	8	7
2	8	6	5	4	7	1	3	9
9	3	7	8	2	1	6	5	4
3	1	2	7	6	4	8	9	5
6	9	5	3	8	2	4	7	1
4	7	8	9	1	5	3	2	6
8	2	9	1	7	6	5	4	3
5	4	1	2	9	3	7	6	8
7	6	3	4	5	8	9	1	2

2

5	3	1	6	7	2	4	8	9
2	6	8	4	5	9	7	3	1
9	4	7	3	8	1	6	5	2
3	7	4	2	1	5	9	6	8
1	5	6	8	9	4	3	2	7
8	9	2	7	3	6	5	1	4
4	8	9	5	2	3	1	7	6
7	1	3	9	6	8	2	4	5
6	2	5	1	4	7	8	9	3

3

7	2	1	6	4	9	5	8	3
3	6	8	7	5	1	4	9	2
5	9	4	8	2	3	6	1	7
1	8	9	3	6	2	7	4	5
2	4	7	5	1	8	9	3	6
6	5	3	9	7	4	8	2	1
9	7	2	4	3	6	1	5	8
4	1	5	2	8	7	3	6	9
8	3	6	1	9	5	2	7	4

4

3	8	2	6	7	9	4	1	5
6	5	7	4	8	1	2	3	9
4	9	1	5	3	2	6	8	7
2	6	5	8	1	4	7	9	3
7	1	9	3	2	6	8	5	4
8	4	3	9	5	7	1	6	2
1	3	4	7	6	5	9	2	8
9	2	8	1	4	3	5	7	6
5	7	6	2	9	8	3	4	1

5

6	3	9	5	2	1	4	8	7
7	2	8	6	4	3	9	1	5
5	1	4	7	9	8	3	6	2
9	8	2	4	3	5	6	7	1
3	4	7	8	1	6	5	2	9
1	6	5	9	7	2	8	3	4
4	7	3	1	8	9	2	5	6
8	5	1	2	6	4	7	9	3
2	9	6	3	5	7	1	4	8

6

5	4	3	8	9	1	6	2	7
1	2	9	6	5	7	4	3	8
6	7	8	3	4	2	5	9	1
2	8	5	1	3	9	7	4	6
9	6	4	2	7	8	1	5	3
7	3	1	4	6	5	9	8	2
3	9	7	5	2	6	8	1	4
4	1	6	9	8	3	2	7	5
8	5	2	7	1	4	3	6	9

7

8	1	5	2	9	6	7	3	4
2	4	6	8	7	3	9	1	5
7	3	9	1	5	4	8	2	6
5	7	2	4	3	8	6	9	1
4	8	1	9	6	2	3	5	7
9	6	3	7	1	5	2	4	8
3	5	8	6	2	1	4	7	9
6	2	7	5	4	9	1	8	3
1	9	4	3	8	7	5	6	2

8

5	3	4	1	8	9	7	2	6
7	1	8	5	2	6	9	4	3
9	2	6	4	7	3	5	1	8
1	5	2	6	9	8	4	3	7
4	9	3	7	1	2	8	6	5
6	8	7	3	5	4	2	9	1
8	6	1	2	4	5	3	7	9
2	7	9	8	3	1	6	5	4
3	4	5	9	6	7	1	8	2

9

4	7	2	6	1	8	9	3	5
1	8	5	2	3	9	7	4	6
3	1	6	4	5	7	8	9	2
9	2	7	8	4	3	6	5	1
5	3	9	7	2	6	4	1	8
6	4	8	3	9	1	5	2	7
8	5	1	9	6	2	3	7	4
2	6	3	5	7	4	1	8	9
7	9	4	1	8	5	2	6	3

Level 4

10

5	6	4	7	2	3	9	8	1
7	8	1	4	6	9	5	3	2
2	9	3	5	8	1	7	4	6
8	3	9	1	5	6	2	7	4
1	5	2	3	4	7	8	6	9
6	4	7	8	9	2	3	1	5
3	7	5	9	1	4	6	2	8
4	2	8	6	7	5	1	9	3
9	1	6	2	3	8	4	5	7

11

4	5	8	7	6	3	1	2	9
9	3	6	2	1	8	5	7	4
2	1	7	5	9	4	3	6	8
8	2	5	1	3	7	4	9	6
7	9	1	6	4	2	8	5	3
6	4	3	8	5	9	2	1	7
1	8	9	4	2	6	7	3	5
5	6	4	3	7	1	9	8	2
3	7	2	9	8	5	6	4	1

12

8	3	9	5	2	7	6	1	4
1	7	2	6	3	4	9	8	5
4	5	6	9	1	8	7	2	3
3	1	8	2	4	6	5	9	7
5	2	7	3	9	1	4	6	8
9	6	4	7	8	5	1	3	2
2	4	3	1	5	9	8	7	6
7	9	5	8	6	2	3	4	1
6	8	1	4	7	3	2	5	9

13

2	1	3	5	7	8	9	4	6
4	6	8	9	3	2	7	1	5
9	5	7	1	6	4	2	3	8
7	9	1	3	2	5	6	8	4
5	2	4	7	8	6	3	9	1
8	3	6	4	1	9	5	7	2
3	8	2	6	9	1	4	5	7
1	7	5	2	4	3	8	6	9
6	4	9	8	5	7	1	2	3

14

8	9	7	2	4	5	3	1	6
3	1	5	6	8	7	2	4	9
2	6	4	3	9	1	7	8	5
4	5	6	7	1	2	9	3	8
7	8	1	4	3	9	6	5	2
9	3	2	8	5	6	1	7	4
6	2	8	5	7	3	4	9	1
5	7	9	1	6	4	8	2	3
1	4	3	9	2	8	5	6	7

15

9	6	5	3	8	4	2	1	7
1	3	8	7	6	2	9	5	4
2	4	7	5	9	1	3	6	8
8	2	1	6	7	9	5	4	3
5	9	6	2	4	3	7	8	1
4	7	3	8	1	5	6	2	9
3	5	4	1	2	7	8	9	6
7	8	9	4	5	6	1	3	2
6	1	2	9	3	8	4	7	5

16

3	8	6	5	9	4	7	2	1
7	5	2	3	6	1	8	4	9
9	4	1	7	8	2	5	3	6
8	6	3	9	1	5	2	7	4
1	7	4	2	3	6	9	5	8
5	2	9	8	4	7	1	6	3
6	3	7	1	2	8	4	9	5
2	9	8	4	5	3	6	1	7
4	1	5	6	7	9	3	8	2

17

7	9	5	2	4	3	1	8	6
8	1	4	6	7	9	5	2	3
3	6	2	8	1	5	9	7	4
4	8	6	3	9	1	2	5	7
2	3	9	7	5	6	8	4	1
1	5	7	4	8	2	6	3	9
5	4	3	1	6	8	7	9	2
6	7	8	9	2	4	3	1	5
9	2	1	5	3	7	4	6	8

18

6	5	1	3	7	2	9	8	4
9	8	3	5	4	6	1	2	7
7	4	2	1	8	9	3	5	6
8	9	6	2	5	1	7	4	3
2	7	5	9	3	4	6	1	8
3	1	4	7	6	8	5	9	2
1	6	7	8	2	5	4	3	9
4	2	9	6	1	3	8	7	5
5	3	8	4	9	7	2	6	1

19

8	3	7	6	2	1	9	5	4
5	9	1	4	3	7	8	2	6
6	4	2	5	9	8	7	3	1
7	8	9	3	4	2	1	6	5
1	2	5	9	8	6	3	4	7
3	6	4	1	7	5	2	9	8
9	1	3	8	5	4	6	7	2
4	7	6	2	1	9	5	8	3
2	5	8	7	6	3	4	1	9

20

1	7	4	5	9	3	8	6	2
9	5	2	6	8	1	4	7	3
8	6	3	2	7	4	5	1	9
5	9	1	8	4	6	3	2	7
4	2	7	3	5	9	1	8	6
3	8	6	1	2	7	9	5	4
6	1	8	9	3	2	7	4	5
7	3	5	4	6	8	2	9	1
2	4	9	7	1	5	6	3	8

21

7	9	1	2	3	8	6	5	4
2	6	8	4	5	7	1	9	3
3	5	4	6	9	1	8	7	2
4	8	5	1	2	6	7	3	9
6	7	3	8	4	9	2	1	5
9	1	2	5	7	3	4	8	6
8	4	6	3	1	5	9	2	7
1	3	7	9	6	2	5	4	8
5	2	9	7	8	4	3	6	1

22

2	7	3	4	9	5	1	6	8
1	9	6	3	8	2	7	4	5
5	8	4	6	1	7	2	9	3
4	6	2	8	3	1	5	7	9
8	3	7	9	5	6	4	2	1
9	1	5	2	7	4	8	3	6
3	2	8	1	4	9	6	5	7
7	4	1	5	6	3	9	8	2
6	5	9	7	2	8	3	1	4

23

2	1	9	7	3	5	4	8	6
7	8	6	1	4	2	3	5	9
4	5	3	9	8	6	1	7	2
3	7	1	6	2	4	5	9	8
6	9	8	5	1	3	7	2	4
5	2	4	8	9	7	6	3	1
1	3	7	2	6	8	9	4	5
9	4	2	3	5	1	8	6	7
8	6	5	4	7	9	2	1	3

24

4	1	5	7	8	2	3	6	9
9	6	7	4	3	1	5	8	2
3	2	8	5	9	6	1	7	4
1	8	4	3	6	9	7	2	5
2	5	3	1	7	8	9	4	6
7	9	6	2	5	4	8	3	1
5	4	2	8	1	7	6	9	3
8	3	9	6	2	5	4	1	7
6	7	1	9	4	3	2	5	8

25

9	4	1	2	6	7	8	5	3
8	7	5	1	3	4	9	6	2
6	2	3	8	9	5	7	4	1
4	6	9	3	7	8	1	2	5
5	3	8	4	1	2	6	7	9
2	1	7	6	5	9	3	8	4
7	9	6	5	4	1	2	3	8
1	8	4	7	2	3	5	9	6
3	5	2	9	8	6	4	1	7

26

3	4	9	1	8	7	6	5	2
7	6	1	9	2	5	4	8	3
5	2	8	4	3	6	7	1	9
1	8	7	3	5	2	9	6	4
2	9	4	6	7	1	5	3	8
6	5	3	8	4	9	2	7	1
8	7	2	5	9	3	1	4	6
9	3	6	7	1	4	8	2	5
4	1	5	2	6	8	3	9	7

27

8	3	4	9	1	6	7	5	2
1	7	9	4	2	5	8	6	3
6	5	2	7	8	3	1	4	9
7	9	6	1	5	8	2	3	4
5	8	3	2	4	7	9	1	6
4	2	1	3	6	9	5	8	7
9	6	7	5	3	1	4	2	8
2	1	8	6	7	4	3	9	5
3	4	5	8	9	2	6	7	1

28

8	1	6	5	7	4	3	2	9
4	3	5	2	9	1	8	6	7
9	7	2	8	6	3	1	5	4
6	8	9	7	4	5	2	1	3
5	2	7	1	3	8	4	9	6
3	4	1	6	2	9	5	7	8
7	9	8	4	5	2	6	3	1
1	5	3	9	8	6	7	4	2
2	6	4	3	1	7	9	8	5

29

7	9	4	3	6	5	1	2	8
2	1	6	4	8	9	7	5	3
5	8	3	7	2	1	6	4	9
9	7	1	5	3	2	8	6	4
4	6	5	9	7	8	3	1	2
3	2	8	1	4	6	9	7	5
6	4	9	8	5	7	2	3	1
8	3	7	2	1	4	5	9	6
1	5	2	6	9	3	4	8	7

30

9	3	5	6	1	4	7	2	8
8	4	7	2	9	3	1	5	6
6	2	1	8	5	7	3	9	4
7	8	6	4	2	9	5	1	3
2	9	3	1	6	5	8	4	7
5	1	4	3	7	8	2	6	9
3	6	2	9	8	1	4	7	5
1	7	8	5	4	6	9	3	2
4	5	9	7	3	2	6	8	1

31

5	1	4	3	6	2	9	8	7
9	7	2	8	5	1	3	6	4
3	6	8	9	4	7	5	1	2
8	9	6	7	2	4	1	3	5
7	4	5	6	1	3	8	2	9
6	2	3	5	9	8	7	4	1
4	8	1	2	7	5	6	9	3
2	5	9	1	3	6	4	7	8
1	3	7	4	8	9	2	5	6

32

8	9	7	5	2	1	3	4	6
4	2	6	3	7	9	5	1	8
3	5	1	4	6	8	9	7	2
2	8	5	6	9	4	7	3	1
7	1	9	2	3	5	8	6	4
6	3	4	8	1	7	2	9	5
9	6	2	1	5	3	4	8	7
1	7	8	9	4	2	6	5	3
5	4	3	7	8	6	1	2	9

Level 5

33

2	3	1	8	5	6	9	4	7
4	8	5	7	9	1	2	6	3
7	6	9	2	4	3	8	1	5
8	2	7	1	3	9	4	5	6
9	4	3	6	7	5	1	2	8
1	5	6	4	8	2	3	7	9
5	7	4	3	2	8	6	9	1
3	1	2	9	6	7	5	8	4
6	9	8	5	1	4	7	3	2

34

6	8	3	2	7	5	4	1	9
1	4	2	3	8	9	5	7	6
9	5	7	6	1	4	3	8	2
2	9	4	7	3	8	6	5	1
5	3	6	9	2	1	8	4	7
7	1	8	5	4	6	2	9	3
3	2	5	4	9	7	1	6	8
4	7	1	8	6	3	9	2	5
8	6	9	1	5	2	7	3	4

35

2	1	9	8	3	4	5	7	6
6	4	5	1	9	7	2	3	8
7	8	3	5	6	2	1	9	4
1	7	8	6	4	9	3	5	2
4	9	6	2	5	3	7	8	1
3	5	2	7	8	1	6	4	9
5	3	4	9	2	6	8	1	7
8	2	7	4	1	5	9	6	3
9	6	1	3	7	8	4	2	5

36

6	3	9	8	4	5	7	2	1
8	7	5	3	2	1	6	4	9
2	4	1	7	9	6	8	3	5
4	9	7	5	1	8	3	6	2
1	5	6	2	3	7	4	9	8
3	2	8	9	6	4	1	5	7
7	8	3	6	5	2	9	1	4
5	6	4	1	7	9	2	8	3
9	1	2	4	8	3	5	7	6

37

6	5	7	8	4	1	3	9	2
9	8	1	2	3	5	6	7	4
3	2	4	9	7	6	1	5	8
5	6	2	4	9	3	7	8	1
8	1	3	6	5	7	2	4	9
7	4	9	1	2	8	5	6	3
1	7	8	3	6	9	4	2	5
2	9	6	5	1	4	8	3	7
4	3	5	7	8	2	9	1	6

38

2	3	5	6	8	7	1	9	4
7	8	9	4	1	5	2	6	3
1	4	6	9	3	2	8	5	7
3	1	2	7	4	9	6	8	5
5	7	8	3	6	1	9	4	2
9	6	4	5	2	8	7	3	1
8	2	3	1	9	4	5	7	6
4	9	7	2	5	6	3	1	8
6	5	1	8	7	3	4	2	9

39

9	6	2	5	3	7	8	4	1
5	4	3	8	1	9	6	7	2
1	7	8	6	4	2	5	9	3
4	1	6	9	8	3	2	5	7
2	5	9	7	6	4	1	3	8
3	8	7	2	5	1	4	6	9
7	2	5	1	9	6	3	8	4
6	3	1	4	7	8	9	2	5
8	9	4	3	2	5	7	1	6

40

1	8	2	6	5	9	4	3	7
4	5	3	7	8	2	9	1	6
7	9	6	4	1	3	8	5	2
5	7	9	3	2	6	1	8	4
2	1	4	5	9	8	7	6	3
6	3	8	1	4	7	5	2	9
8	6	7	9	3	1	2	4	5
9	4	1	2	6	5	3	7	8
3	2	5	8	7	4	6	9	1

41

6	9	5	7	3	8	4	1	2
4	3	8	1	6	2	5	9	7
7	2	1	9	5	4	3	8	6
8	6	7	5	4	9	1	2	3
9	1	3	2	8	7	6	5	4
5	4	2	6	1	3	8	7	9
3	8	9	4	7	5	2	6	1
2	5	6	3	9	1	7	4	8
1	7	4	8	2	6	9	3	5

42

7	1	6	2	3	4	8	5	9
3	8	5	9	6	7	1	2	4
9	4	2	8	5	1	6	7	3
8	5	7	1	4	2	3	9	6
4	3	1	6	7	9	2	8	5
6	2	9	5	8	3	7	4	1
1	6	4	7	9	8	5	3	2
5	9	8	3	2	6	4	1	7
2	7	3	4	1	5	9	6	8

43

3	1	6	8	5	9	7	2	4
2	9	8	7	4	1	6	5	3
4	7	5	2	3	6	1	8	9
6	8	7	4	2	5	9	3	1
1	5	2	3	9	7	4	6	8
9	4	3	1	6	8	2	7	5
7	2	4	5	1	3	8	9	6
8	3	9	6	7	4	5	1	2
5	6	1	9	8	2	3	4	7

44

4	2	1	7	3	5	9	8	6
8	5	3	4	9	6	2	7	1
7	9	6	2	1	8	3	5	4
1	8	5	9	6	4	7	3	2
9	3	4	8	2	7	6	1	5
2	6	7	3	5	1	4	9	8
6	1	2	5	7	9	8	4	3
5	7	8	6	4	3	1	2	9
3	4	9	1	8	2	5	6	7

45

4	6	5	9	1	7	8	2	3
9	3	2	4	5	8	1	7	6
8	7	1	3	6	2	9	5	4
3	4	8	6	2	9	7	1	5
5	2	6	8	7	1	4	3	9
7	1	9	5	4	3	2	6	8
2	8	3	7	9	5	6	4	1
1	9	4	2	3	6	5	8	7
6	5	7	1	8	4	3	9	2

46

3	8	2	9	7	5	1	6	4
1	6	4	2	3	8	9	7	5
9	5	7	6	1	4	8	3	2
8	7	3	4	5	2	6	1	9
2	9	5	1	8	6	7	4	3
6	4	1	3	9	7	2	5	8
4	1	8	5	6	9	3	2	7
5	3	9	7	2	1	4	8	6
7	2	6	8	4	3	5	9	1

47

4	8	5	6	7	2	1	9	3
2	7	3	8	9	1	4	6	5
1	6	9	4	5	3	2	7	8
5	9	4	3	1	6	8	2	7
6	2	8	7	4	9	3	5	1
7	3	1	5	2	8	9	4	6
8	4	2	1	6	5	7	3	9
3	5	7	9	8	4	6	1	2
9	1	6	2	3	7	5	8	4

48

2	6	7	9	4	3	8	5	1
3	1	9	5	6	8	2	7	4
5	8	4	7	2	1	6	3	9
1	4	5	8	3	9	7	6	2
7	9	3	6	5	2	4	1	8
8	2	6	1	7	4	5	9	3
6	3	2	4	9	5	1	8	7
4	7	8	3	1	6	9	2	5
9	5	1	2	8	7	3	4	6

49

6	7	1	5	2	8	4	9	3
3	5	8	1	9	4	6	7	2
4	2	9	7	3	6	8	5	1
9	3	5	8	4	7	1	2	6
8	1	7	6	5	2	3	4	9
2	4	6	9	1	3	5	8	7
1	6	2	4	7	5	9	3	8
7	9	4	3	8	1	2	6	5
5	8	3	2	6	9	7	1	4

50

9	5	7	4	6	8	2	3	1
1	8	4	3	2	7	6	5	9
3	6	2	9	5	1	8	4	7
5	1	3	2	8	4	7	9	6
8	4	9	7	3	6	5	1	2
7	2	6	1	9	5	4	8	3
4	3	5	6	7	9	1	2	8
6	9	1	8	4	2	3	7	5
2	7	8	5	1	3	9	6	4

51

7	5	8	9	3	2	6	1	4
1	2	4	6	5	7	9	8	3
3	9	6	1	4	8	5	2	7
4	7	2	3	6	9	1	5	8
6	3	5	8	2	1	7	4	9
8	1	9	4	7	5	2	3	6
9	8	7	5	1	4	3	6	2
5	4	3	2	9	6	8	7	1
2	6	1	7	8	3	4	9	5

52

6	5	3	9	8	7	1	2	4
8	4	1	2	3	6	5	7	9
2	9	7	4	5	1	3	6	8
1	3	2	8	9	5	6	4	7
9	8	5	7	6	4	2	1	3
4	7	6	3	1	2	8	9	5
3	1	8	6	7	9	4	5	2
7	6	4	5	2	8	9	3	1
5	2	9	1	4	3	7	8	6

53

2	3	5	8	1	9	7	4	6
7	4	8	3	5	6	9	1	2
6	1	9	7	4	2	5	3	8
8	7	3	4	6	1	2	5	9
4	6	2	9	8	5	3	7	1
5	9	1	2	3	7	6	8	4
9	8	7	5	2	4	1	6	3
3	5	6	1	9	8	4	2	7
1	2	4	6	7	3	8	9	5

54

8	3	9	6	5	1	7	2	4
5	6	1	7	2	4	9	3	8
4	7	2	9	8	3	1	6	5
1	4	5	8	3	7	6	9	2
9	2	3	4	1	6	8	5	7
6	8	7	2	9	5	4	1	3
3	5	6	1	4	8	2	7	9
7	9	4	3	6	2	5	8	1
2	1	8	5	7	9	3	4	6

55

5	6	4	2	1	7	8	9	3
2	1	9	5	8	3	7	4	6
7	8	3	4	9	6	1	5	2
3	4	7	6	2	8	5	1	9
9	2	6	1	4	5	3	8	7
8	5	1	7	3	9	6	2	4
4	3	8	9	6	1	2	7	5
6	9	5	8	7	2	4	3	1
1	7	2	3	5	4	9	6	8

56

4	6	5	3	8	1	2	7	9
9	7	1	2	6	5	8	3	4
2	3	8	4	7	9	5	6	1
6	9	2	8	3	4	7	1	5
5	4	7	6	1	2	9	8	3
1	8	3	9	5	7	4	2	6
7	2	9	1	4	6	3	5	8
8	1	4	5	2	3	6	9	7
3	5	6	7	9	8	1	4	2

57

7	3	8	1	4	2	6	5	9
9	2	4	5	1	7	3	8	6
8	5	6	9	7	4	1	2	3
1	7	2	3	5	6	8	9	4
6	1	3	2	8	9	5	4	7
3	4	7	6	2	5	9	1	8
4	6	5	7	9	8	2	3	1
2	8	9	4	3	1	7	6	5
5	9	1	8	6	3	4	7	2

Level 6

58
```
8 9 2 5 6 4 1 3 7
7 3 6 1 9 2 5 8 4
4 1 5 3 7 8 2 9 6
5 8 9 7 2 6 3 4 1
3 7 4 8 1 5 6 2 9
2 6 1 4 3 9 7 5 8
6 2 3 9 8 1 4 7 5
1 5 8 2 4 7 9 6 3
9 4 7 6 5 3 8 1 2
```

59
```
2 6 4 1 9 8 7 3 5
8 9 5 7 3 6 2 4 1
3 7 1 2 4 5 6 8 9
1 8 9 6 7 4 3 5 2
7 2 6 5 8 3 9 1 4
4 5 3 9 1 2 8 6 7
5 1 8 3 2 7 4 9 6
6 4 2 8 5 9 1 7 3
9 3 7 4 6 1 5 2 8
```

60
```
6 9 2 1 3 7 4 5 8
5 7 4 6 2 8 1 3 9
3 8 1 4 5 9 6 7 2
7 4 3 8 6 2 5 9 1
8 5 9 3 1 4 7 2 6
1 2 6 7 9 5 8 4 3
2 1 5 9 4 6 3 8 7
4 6 7 2 8 3 9 1 5
9 3 8 5 7 1 2 6 4
```

61
```
7 3 2 6 5 8 4 9 1
5 9 1 3 2 4 7 8 6
6 8 4 1 9 7 2 5 3
2 1 5 8 7 6 9 3 4
4 6 8 9 1 3 5 2 7
9 7 3 5 4 2 6 1 8
1 5 6 7 8 9 3 4 2
3 4 9 2 6 1 8 7 5
8 2 7 4 3 5 1 6 9
```

62
```
5 4 7 8 1 9 2 6 3
1 8 6 3 7 2 9 4 5
9 2 3 4 5 6 1 7 8
7 3 9 1 6 8 5 2 4
2 1 8 5 4 3 6 9 7
6 5 4 9 2 7 8 3 1
8 6 5 2 3 4 7 1 9
4 7 1 6 9 5 3 8 2
3 9 2 7 8 1 4 5 6
```

63
```
2 9 6 4 7 5 8 1 3
7 1 3 8 2 9 5 6 4
4 8 5 6 3 1 9 7 2
8 2 1 3 9 7 4 5 6
6 7 9 5 4 2 1 3 8
5 3 4 1 8 6 2 9 7
1 4 7 2 5 3 6 8 9
3 6 2 9 1 8 7 4 5
9 5 8 7 6 4 3 2 1
```

64
```
2 6 5 8 4 1 9 3 7
7 4 1 6 9 3 5 2 8
3 8 9 7 5 2 6 1 4
8 9 6 5 2 4 3 7 1
1 7 2 3 6 9 8 4 5
4 5 3 1 8 7 2 6 9
9 3 4 2 1 5 7 8 6
6 1 7 9 3 8 4 5 2
5 2 8 4 7 6 1 9 3
```

65
```
8 1 6 5 4 7 9 3 2
5 7 9 2 3 6 4 8 1
3 4 2 9 1 8 7 6 5
9 6 5 4 7 1 8 2 3
1 2 8 3 6 9 5 4 7
7 3 4 8 2 5 6 1 9
2 9 3 6 5 4 1 7 8
6 8 1 7 9 2 3 5 4
4 5 7 1 8 3 2 9 6
```

66
```
3 5 6 7 4 9 1 8 2
8 7 1 6 5 2 3 9 4
2 4 9 8 1 3 6 7 5
9 8 4 3 6 5 7 2 1
1 6 3 2 9 7 4 5 8
7 2 5 1 8 4 9 6 3
5 3 7 9 2 1 8 4 6
4 1 8 5 7 6 2 3 9
6 9 2 4 3 8 5 1 7
```

67

7	1	6	2	5	8	9	3	4
4	8	5	9	7	3	6	2	1
9	3	2	6	4	1	7	8	5
6	9	1	3	2	5	4	7	8
3	2	4	7	8	6	1	5	9
5	7	8	1	9	4	2	6	3
2	4	3	5	1	7	8	9	6
8	5	9	4	6	2	3	1	7
1	6	7	8	3	9	5	4	2

68

7	3	9	6	1	2	5	8	4
1	4	8	9	5	7	6	2	3
2	6	5	8	3	4	9	1	7
3	9	6	7	4	8	2	5	1
8	7	2	1	9	5	4	3	6
4	5	1	2	6	3	8	7	9
6	8	4	3	2	1	7	9	5
5	2	3	4	7	9	1	6	8
9	1	7	5	8	6	3	4	2

69

1	8	6	2	4	3	9	7	5
3	9	2	7	5	6	1	4	8
7	4	5	8	1	9	6	2	3
8	7	9	4	3	2	5	6	1
4	2	1	6	9	5	3	8	7
5	6	3	1	7	8	2	9	4
9	1	8	3	6	4	7	5	2
6	3	4	5	2	7	8	1	9
2	5	7	9	8	1	4	3	6

70

2	6	8	3	5	9	7	1	4
1	7	3	2	6	4	9	5	8
4	5	9	8	1	7	2	3	6
6	8	4	1	9	2	5	7	3
5	3	2	7	4	8	6	9	1
9	1	7	6	3	5	8	4	2
3	2	1	9	7	6	4	8	5
8	9	5	4	2	3	1	6	7
7	4	6	5	8	1	3	2	9

71

6	1	3	7	4	9	2	8	5
9	4	5	2	8	1	6	7	3
8	7	2	5	3	6	1	9	4
3	6	7	1	2	8	4	5	9
1	5	8	6	9	4	3	2	7
4	2	9	3	5	7	8	1	6
7	8	1	4	6	5	9	3	2
2	9	6	8	7	3	5	4	1
5	3	4	9	1	2	7	6	8

72

4	8	6	2	5	1	7	3	9
3	1	2	8	7	9	5	6	4
9	7	5	3	6	4	1	2	8
8	3	7	9	4	6	2	5	1
5	4	1	7	3	2	8	9	6
2	6	9	5	1	8	4	7	3
1	2	3	6	8	7	9	4	5
7	5	8	4	9	3	6	1	2
6	9	4	1	2	5	3	8	7

73

8	9	5	2	1	3	4	6	7
6	1	4	7	8	5	9	2	3
3	7	2	6	4	9	1	5	8
1	5	8	9	6	4	7	3	2
4	6	7	3	2	1	5	8	9
2	3	9	5	7	8	6	1	4
9	2	6	1	3	7	8	4	5
7	4	3	8	5	6	2	9	1
5	8	1	4	9	2	3	7	6

74

7	4	3	6	9	8	2	1	5
1	2	9	3	7	5	6	8	4
8	5	6	1	2	4	7	9	3
4	9	8	5	1	2	3	7	6
5	6	2	9	3	7	8	4	1
3	1	7	8	4	6	9	5	2
9	7	4	2	6	1	5	3	8
6	8	1	7	5	3	4	2	9
2	3	5	4	8	9	1	6	7

75

1	2	9	5	7	4	6	8	3
3	7	8	9	6	2	1	4	5
5	4	6	3	8	1	7	9	2
7	6	5	2	9	8	3	1	4
8	1	2	7	4	3	9	5	6
9	3	4	6	1	5	2	7	8
2	5	1	4	3	9	8	6	7
4	8	7	1	2	6	5	3	9
6	9	3	8	5	7	4	2	1

76

3	7	5	2	1	8	6	9	4
1	8	6	4	9	5	7	3	2
9	4	2	3	7	6	1	8	5
8	3	7	1	6	4	2	5	9
5	1	9	7	3	2	4	6	8
6	2	4	5	8	9	3	7	1
2	9	8	6	4	7	5	1	3
7	5	1	8	2	3	9	4	6
4	6	3	9	5	1	8	2	7

77
6	5	4	2	8	7	1	9	3
7	1	2	9	4	3	5	6	8
8	9	3	6	5	1	2	7	4
9	6	5	8	3	2	4	1	7
3	2	7	1	6	4	9	8	5
4	8	1	5	7	9	6	3	2
2	7	9	4	1	8	3	5	6
1	3	6	7	2	5	8	4	9
5	4	8	3	9	6	7	2	1

78
4	5	2	8	6	7	3	1	9
9	3	6	1	2	5	8	7	4
1	7	8	4	3	9	2	5	6
2	9	4	6	7	8	5	3	1
8	1	5	3	9	4	7	6	2
3	6	7	2	5	1	9	4	8
7	4	3	9	1	2	6	8	5
5	2	1	7	8	6	4	9	3
6	8	9	5	4	3	1	2	7

79
3	1	4	9	6	2	5	7	8
2	8	7	5	4	1	6	3	9
6	5	9	3	7	8	1	2	4
8	4	2	7	5	9	3	1	6
5	3	1	4	8	6	2	9	7
7	9	6	1	2	3	8	4	5
9	2	8	6	3	4	7	5	1
4	7	3	8	1	5	9	6	2
1	6	5	2	9	7	4	8	3

80
8	1	7	3	5	2	4	9	6
4	5	3	9	6	1	2	7	8
9	2	6	8	7	4	5	1	3
6	7	4	1	3	5	9	8	2
5	3	2	7	8	9	6	4	1
1	9	8	4	2	6	3	5	7
2	8	9	6	4	7	1	3	5
7	6	1	5	9	3	8	2	4
3	4	5	2	1	8	7	6	9

81
8	3	1	4	5	9	7	6	2
7	4	2	6	3	1	5	8	9
9	6	5	8	2	7	1	4	3
1	9	8	2	4	6	3	5	7
2	5	4	3	7	8	9	1	6
3	7	6	1	9	5	8	2	4
4	1	7	5	6	3	2	9	8
5	2	9	7	8	4	6	3	1
6	8	3	9	1	2	4	7	5

82
4	2	3	1	8	5	9	7	6
6	1	7	4	2	9	8	5	3
8	9	5	6	3	7	1	2	4
9	4	6	7	1	2	3	8	5
7	3	1	8	5	4	6	9	2
5	8	2	3	9	6	4	1	7
2	6	4	9	7	1	5	3	8
3	5	9	2	6	8	7	4	1
1	7	8	5	4	3	2	6	9

Level 7

83
3	7	4	1	5	8	9	2	6
6	5	8	9	2	4	1	7	3
9	2	1	7	3	6	4	8	5
8	9	5	3	7	2	6	1	4
4	1	7	6	8	9	3	5	2
2	3	6	5	4	1	7	9	8
7	6	2	4	9	5	8	3	1
5	4	9	8	1	3	2	6	7
1	8	3	2	6	7	5	4	9

84
8	3	5	1	2	7	9	6	4
9	4	7	3	6	5	1	8	2
2	1	6	9	8	4	3	5	7
6	8	4	2	9	1	5	7	3
7	2	1	4	5	3	6	9	8
5	9	3	8	7	6	2	4	1
3	5	9	7	4	2	8	1	6
4	6	2	5	1	8	7	3	9
1	7	8	6	3	9	4	2	5

85
2	5	6	4	9	3	7	8	1
3	4	9	7	1	8	6	5	2
8	7	1	2	5	6	4	9	3
5	9	2	6	3	4	8	1	7
4	8	3	9	7	1	2	6	5
1	6	7	5	8	2	9	3	4
7	1	5	8	4	9	3	2	6
6	3	8	1	2	7	5	4	9
9	2	4	3	6	5	1	7	8

86

3	7	2	1	9	4	6	8	5
8	1	4	5	6	7	3	9	2
5	6	9	2	8	3	1	7	4
4	2	7	3	5	1	9	6	8
1	8	3	6	4	9	5	2	7
6	9	5	8	7	2	4	3	1
2	5	1	9	3	8	7	4	6
7	3	6	4	2	5	8	1	9
9	4	8	7	1	6	2	5	3

87

1	2	9	4	3	6	5	8	7
4	3	8	9	7	5	1	6	2
5	7	6	8	2	1	3	4	9
9	8	5	2	6	3	7	1	4
6	1	2	7	4	9	8	5	3
7	4	3	5	1	8	2	9	6
2	5	7	1	9	4	6	3	8
3	9	1	6	8	7	4	2	5
8	6	4	3	5	2	9	7	1

88

3	6	5	8	9	7	1	2	4
2	4	9	1	3	5	7	8	6
7	1	8	2	4	6	9	3	5
5	3	6	4	8	9	2	7	1
9	2	4	7	6	1	8	5	3
1	8	7	5	2	3	4	6	9
6	7	2	9	5	4	3	1	8
4	5	1	3	7	8	6	9	2
8	9	3	6	1	2	5	4	7

89

4	5	7	1	8	9	6	2	3
3	9	1	6	2	7	8	5	4
8	6	2	4	5	3	9	1	7
6	4	3	5	7	2	1	9	8
1	8	5	9	4	6	7	3	2
7	2	9	3	1	8	5	4	6
5	1	6	8	3	4	2	7	9
9	7	4	2	6	1	3	8	5
2	3	8	7	9	5	4	6	1

90

3	6	5	4	9	2	8	7	1
2	8	7	5	1	3	4	6	9
1	9	4	7	6	8	3	5	2
8	7	3	2	5	1	6	9	4
6	2	9	8	7	4	1	3	5
5	4	1	6	3	9	7	2	8
4	5	2	3	8	7	9	1	6
7	1	6	9	4	5	2	8	3
9	3	8	1	2	6	5	4	7

91

3	6	1	8	9	4	5	7	2
8	7	5	6	3	2	1	9	4
4	9	2	5	1	7	8	6	3
9	8	7	3	2	1	6	4	5
6	5	3	9	4	8	7	2	1
1	2	4	7	5	6	3	8	9
7	1	9	4	6	5	2	3	8
2	3	8	1	7	9	4	5	6
5	4	6	2	8	3	9	1	7

92

3	4	5	2	1	7	6	8	9
6	1	2	5	9	8	4	3	7
9	7	8	4	6	3	5	2	1
4	2	6	9	3	5	7	1	8
1	5	7	8	4	2	3	9	6
8	3	9	1	7	6	2	4	5
7	8	3	6	2	9	1	5	4
2	9	1	7	5	4	8	6	3
5	6	4	3	8	1	9	7	2

93

2	4	1	5	3	8	7	6	9
7	5	8	9	6	4	3	2	1
9	6	3	1	2	7	4	5	8
8	2	7	4	1	9	6	3	5
1	3	4	7	5	6	8	9	2
5	9	6	3	8	2	1	4	7
3	8	5	2	4	1	9	7	6
6	7	2	8	9	3	5	1	4
4	1	9	6	7	5	2	8	3

94

3	7	6	4	9	1	8	5	2
9	1	2	8	6	5	7	3	4
4	8	5	2	7	3	6	1	9
1	2	8	5	4	6	3	9	7
6	4	7	3	2	9	5	8	1
5	9	3	1	8	7	4	2	6
2	6	4	9	3	8	1	7	5
7	3	1	6	5	2	9	4	8
8	5	9	7	1	4	2	6	3

95

9	6	5	7	8	4	1	3	2
7	2	4	3	9	1	8	6	5
1	3	8	6	2	5	7	4	9
8	4	1	5	3	9	6	2	7
5	7	3	4	6	2	9	8	1
6	9	2	1	7	8	3	5	4
2	8	7	9	5	3	4	1	6
4	5	9	8	1	6	2	7	3
3	1	6	2	4	7	5	9	8

96

7	6	1	9	5	3	4	2	8
3	9	4	7	8	2	6	5	1
8	2	5	6	4	1	7	3	9
1	5	7	4	3	8	9	6	2
2	3	9	5	6	7	1	8	4
6	4	8	2	1	9	3	7	5
9	1	3	8	7	5	2	4	6
5	7	6	1	2	4	8	9	3
4	8	2	3	9	6	5	1	7

97

5	4	6	3	7	2	8	9	1
8	9	7	1	5	4	3	6	2
1	3	2	9	6	8	4	5	7
6	7	4	5	1	9	2	3	8
2	1	5	4	8	3	9	7	6
9	8	3	7	2	6	1	4	5
3	2	1	6	9	5	7	8	4
7	5	9	8	4	1	6	2	3
4	6	8	2	3	7	5	1	9

98

2	8	6	3	9	7	1	5	4
9	3	7	1	4	5	6	8	2
5	4	1	6	2	8	7	9	3
7	5	9	4	3	1	2	6	8
6	1	8	9	5	2	4	3	7
4	2	3	8	7	6	9	1	5
1	6	5	2	8	4	3	7	9
8	9	4	7	6	3	5	2	1
3	7	2	5	1	9	8	4	6

99

5	1	8	3	2	9	7	4	6
2	6	3	5	4	7	1	9	8
7	9	4	8	6	1	3	2	5
6	3	2	9	8	4	5	7	1
9	4	7	1	5	3	8	6	2
1	8	5	2	7	6	4	3	9
3	2	1	4	9	5	6	8	7
4	7	9	6	1	8	2	5	3
8	5	6	7	3	2	9	1	4

100

6	1	3	5	9	2	8	7	4
7	2	8	4	1	3	9	6	5
9	5	4	6	7	8	1	2	3
1	9	2	3	8	6	4	5	7
3	7	5	9	4	1	2	8	6
8	4	6	7	2	5	3	9	1
5	8	9	1	6	4	7	3	2
4	6	7	2	3	9	5	1	8
2	3	1	8	5	7	6	4	9

101

8	4	5	7	1	3	2	9	6
1	7	3	6	2	9	4	5	8
2	6	9	8	4	5	3	1	7
6	5	4	2	9	1	8	7	3
3	2	8	5	6	7	9	4	1
9	1	7	4	3	8	6	2	5
4	8	1	3	5	2	7	6	9
5	3	2	9	7	6	1	8	4
7	9	6	1	8	4	5	3	2

102

5	4	6	9	1	8	2	7	3
9	8	3	7	2	5	1	6	4
7	2	1	6	4	3	9	8	5
6	1	9	3	8	2	4	5	7
2	3	7	5	6	4	8	1	9
8	5	4	1	9	7	6	3	2
4	7	8	2	3	1	5	9	6
1	9	5	4	7	6	3	2	8
3	6	2	8	5	9	7	4	1

103

1	7	4	2	9	5	3	6	8
2	9	5	3	6	8	1	7	4
3	8	6	4	7	1	9	5	2
5	3	7	8	4	2	6	1	9
8	4	1	6	5	9	2	3	7
6	2	9	1	3	7	4	8	5
4	1	8	5	2	6	7	9	3
9	5	2	7	1	3	8	4	6
7	6	3	9	8	4	5	2	1

104

9	5	2	4	8	6	3	1	7
8	3	7	5	9	1	4	2	6
4	6	1	3	7	2	9	8	5
5	8	9	7	3	4	2	6	1
3	1	6	8	2	5	7	4	9
7	2	4	6	1	9	5	3	8
1	4	3	9	5	8	6	7	2
6	9	8	2	4	7	1	5	3
2	7	5	1	6	3	8	9	4

105

3	5	8	2	7	1	4	6	9
9	2	1	3	6	4	7	8	5
6	7	4	5	9	8	2	1	3
2	9	3	8	1	6	5	4	7
8	1	7	4	5	3	9	2	6
4	6	5	7	2	9	8	3	1
7	8	9	6	3	2	1	5	4
1	3	2	9	4	5	6	7	8
5	4	6	1	8	7	3	9	2

PUZZLE POCHETTE

パズル・ポシェット

著者紹介
スカイネットコーポレーション

・

ナンプレ（ナンバープレイス）・イラストロジック・脳トレ等の理数系パズルから、クロスワード・漢字パズル・ナンクロ等の文章系パズルまで、あらゆるジャンルのパズルを各分野の専門スタッフが作成する。
問題の提供先はパズル専門誌・雑誌・書籍・社内報・PR・広報誌、さらには携帯、Web等のデジタル媒体を含めると、その数は100を超える、日本でも数少ないプロのパズル制作会社。1992年設立。
ホームページ　www.skynet.cx/

ナンプレ超難問 絶体絶命

2011年2月20日　第1刷発行
2011年7月1日　第2刷発行

著　者
スカイネットコーポレーション

発行者
友田　満

印刷所
長苗印刷株式会社

製本所
有限会社松本紙工

発行所
株式会社 **日本文芸社**

〒101-8407　東京都千代田区神田神保町1-7
電話 03-3294-8931（営業）03-3294-8920（編集）
URL http://www.nihonbungeisha.co.jp/
振替口座　00180-1-73081

＊

©2011 Skynet Corporation　Printed in Japan
ISBN978-4-537-20881-8
112110215-112110610Ⓝ02
編集担当・村松

※乱丁・落丁などの不良品がありましたら、小社製作部宛にお送りください。
送料小社負担にておとりかえいたします。
法律で認められた場合を除いて、本書からの複写・転載は禁じられています。